나무 위에
다람쥐가 있어요.

나비가 다람쥐에게
다가가요.

다람쥐가 도토리를
먹어요.

오도독오도독
소리가 나요.

도토리가 나무 아래로
떨어져요.

개가 도토리를 잡아요.

개가 도토리를 굴려요.

책 발자국 Level 2

리듬

글 김미혜 그림 차선희

선생님과 학부모님께

이 그림책은 초기 문해력 교육을 위한 수준 평정 그림책입니다.
아이의 읽기 행동을 관찰하고 기록한 결과를 바탕으로 아이의 눈높이에 맞는
책을 골라 주세요. 아이 스스로 책을 선택할 수 있게 해 주시면 더 좋아요.
그리고 가정과 학교에서 아이와 함께 안내된 읽기를 해 주세요.
이 책에는 한글의 네 번째 자음 'ㄹ'이 들어간 '리듬', '도토리', '데굴데굴', '구르다',
'이리저리', '굴리다', '랄랄라', '노래', '부르다', '즐겁다' 등의 낱말이 나옵니다.
'리듬'은 자주 사용하는 말이지만 추상어여서 아이들이 그림을 비롯한
의미 맥락을 활용해 유추하기 어려울 수 있습니다. 책을 읽기 전에 배경지식을 환기하거나
보충해 주실 것을 권합니다. 사전을 찾아보거나 몸으로 표현해 보면 좋습니다.

이 책은 _____ 의 것입니다.

다람쥐

ⓒ 김미혜, 차선희, 2025

2025년 11월 3일 처음 펴냄

글쓴이 김미혜 | **그린이** 차선희 | **편집** 이진주 | **디자인** 더디앤씨 | **인쇄** 보명C&I | **제작** 세종PNP
펴낸이 김기언 | **펴낸곳** 교육공동체 벗 | **이사장** 오정오 | **사무국** 최승훈, 설원민, 공현
출판등록 제2011-000022호(2011년 1월 14일) | **주소** (03998) 서울시 마포구 월드컵북로7길 76-12 102호
전화 02-332-0712 | **전송** 0505-115-0712 | **홈페이지** communebut.com

ISBN 978-89-208-9 67700
ISBN 978-89-195-2(세트)

다람쥐	BFL	2
	어절 수	23

값 2,300원

사용 연령
6세 이상

ISBN 978-89-6880-208-9
ISBN 978-89-6880-195-2 (세트)

책 발자국®